國家圖書館出版品預行編目 (CIP) 資料

大家一起做料理/竹下文子文;鈴木守圖
;王蘊潔譯. -- 第二版. -- 臺北市:親子天
下股份有限公司, 2023.08
面; 24*23公分. -- (繪本; 333)
國語注音
譯自:おまかせコックさん
ISBN 978-626-305-527-8(精裝)

1.SHTB: 圖畫故事書--3-6歲幼兒讀物

861.599   112009487

繪本 0333

大家一起做料理

作者｜竹下文子　繪者｜鈴木守　譯者｜王蘊潔
責任編輯｜陳婕瑜　美術設計｜陳珮甄

發行人｜殷允芃　創辦人兼執行長｜何琦瑜
總經理｜游玉雪　副總經理｜林彥傑　總編輯｜林欣靜
研發總監｜黃雅妮　行銷總監｜林育菁　版權主任｜何晨瑋、黃微真

出版者｜親子天下股份有限公司
地址｜台北市 104 建國北路一段 96 號 4 樓
電話｜(02)2509-2800 傳真｜(02)2509-2462
網址｜www.parenting.com.tw
讀者服務專線｜(02)2662-0332　週一～週五：09:00~17:30
讀者服務傳真｜(02)2662-6048　客服信箱｜bill@service.cw.com.tw
法律顧問｜台英國際商務法律事務所‧羅明通律師
製版印刷廠｜中原造像股份有限公司
總經銷｜大和圖書有限公司 電話：(02)8990-2588

出版日期｜2009 年 7 月第一版第一次印行
　　　　　2023 年 8 月第二版第一次印行
定價｜300 元　書號｜BKKP0333P　ISBN｜978-626-305-527-8（精裝）

──────────訂購服務──────────
親子天下 Shopping｜shopping.parenting.com.tw
海外‧大量訂購｜parenting@service.cw.com.tw
書香花園｜台北市建國北路二段 6 巷 11 號
電話：(02) 2506-1635　劃撥帳號｜50331356

立即購買 >

大家一起做料理

文·竹下文子　圖·鈴木守　譯·王蘊潔

我ㄨㄛˇ們ㄇㄣ˙是ㄕˋ活ㄏㄨㄛˊ力ㄌㄧˋ十ㄕˊ足ㄗㄨˊ的ㄉㄜ˙小ㄒㄧㄠˇ廚ㄔㄨˊ師ㄕ！
美ㄇㄟˇ味ㄨㄟˋ的ㄉㄜ˙料ㄌㄧㄠˋ理ㄌㄧˇ難ㄋㄢˊ不ㄅㄨˋ倒ㄉㄠˇ我ㄨㄛˇ們ㄇㄣ˙，難ㄋㄢˊ不ㄅㄨˋ倒ㄉㄠˇ我ㄨㄛˇ們ㄇㄣ˙。

找到一個大蘋果……

轉ㄓㄨㄢ啊ㄚ轉ㄓㄨㄢ， 削ㄒㄧㄠ啊ㄚ削ㄒㄧㄠ，
削ㄒㄧㄠ下ㄒㄧㄚ長ㄔㄤ長ㄔㄤ的ㄉㄜ蘋ㄆㄧㄣ果ㄍㄨㄛ皮ㄆㄧ。

切成薄薄的蘋果片。

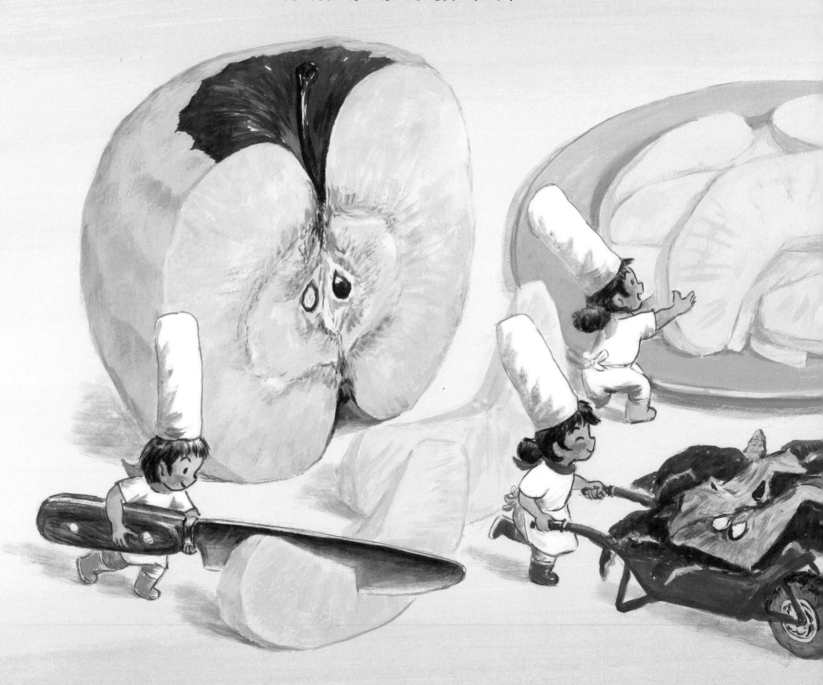

找到一根大香蕉……

剝了皮，切成薄薄的香蕉片。

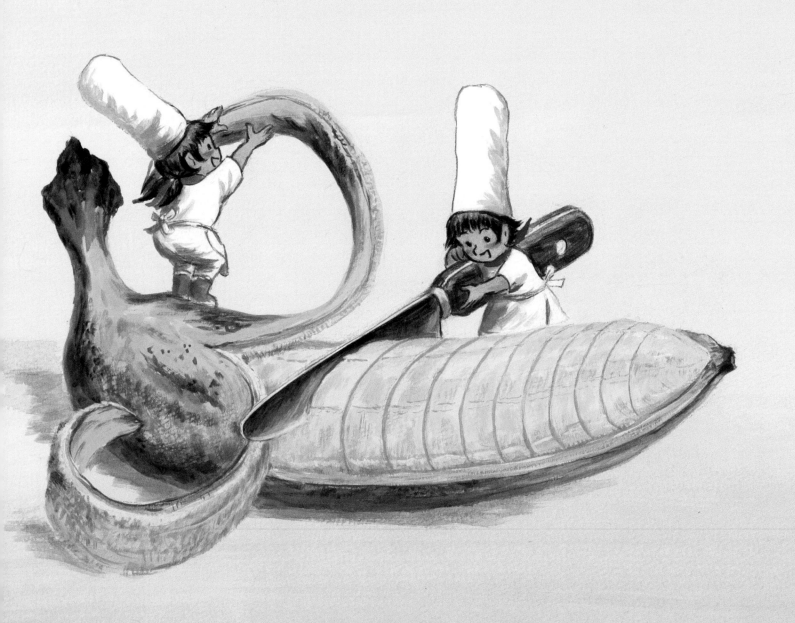

還_厂有_一，
好_厂多_{ㄉㄛ}好_厂多_{ㄉㄛ}的_{ㄉㄜ}食_ㄕ物_ㄨ唷_{一ㄛ}！
大_{ㄉㄚ}蕃_{ㄈㄢ}茄_{ㄑ一ㄝ}、 大_{ㄉㄚ}黃_{厂ㄨㄤ}瓜_{ㄍㄨㄚ}，
還_厂有_一大_{ㄉㄚ}萵_{ㄨㄛ}苣_{ㄐㄩ}。

統統切成一片又一片。

還有什麼呢?
還有大起司和大香腸。

起司好硬唷，切得動嗎？

香腸煎得香噴噴。

大ㄉㄚ雞ㄐㄧ蛋ㄉㄢ也ㄧㄝ難ㄋㄢ不ㄅㄨ倒ㄉㄠ我ㄨㄛ們ㄇㄣ，難ㄋㄢ不ㄅㄨ倒ㄉㄠ我ㄨㄛ們ㄇㄣ。
要ㄧㄠ做ㄗㄨㄛ蛋ㄉㄢ包ㄅㄠ飯ㄈㄢ？還ㄏㄞ是ㄕ荷ㄏㄜ包ㄅㄠ蛋ㄉㄢ？

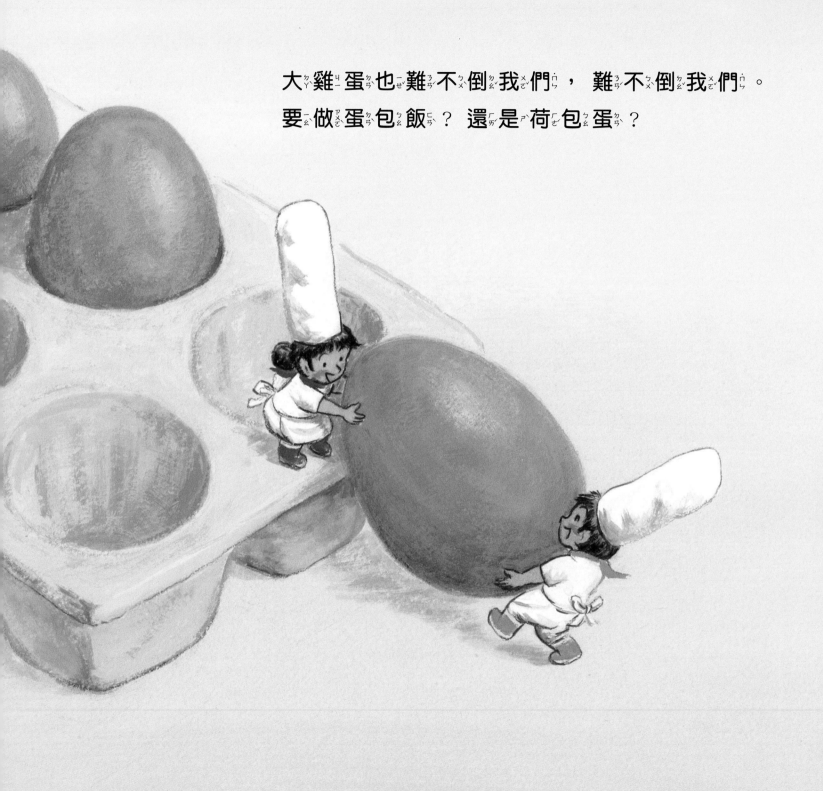

雞蛋當然要煮水煮蛋，
開水好燙，要小心唷！

剝掉蛋殼，光溜溜，光溜溜。
壓碎，加點鹽，
再加好多美乃滋。

又有食物來嘍！
這次是什麼呢？

原來是大大的、大大的麵包山，
好，開始動手吧！
先夾雞蛋，
再加香腸。

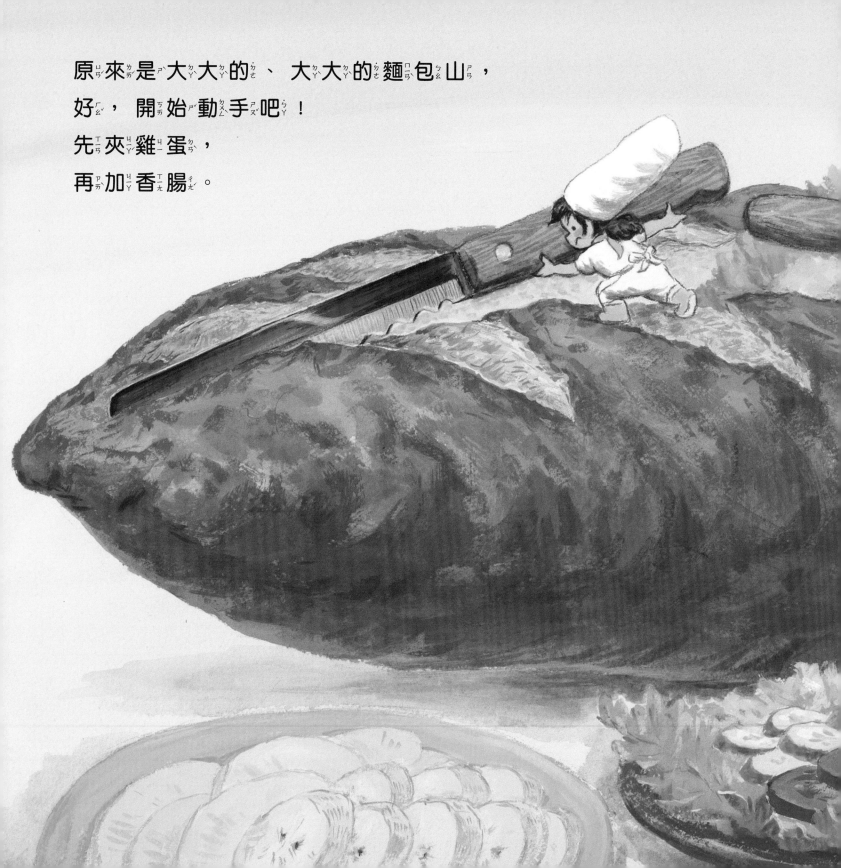

起司上場，
蕃茄、黃瓜、萵苣也來了。

別忘了香蕉，還有蘋果，
大大的、大大的三明治終於完成嘍。
喔耶！

趕快，趕快，
客人已經餓得咕咕叫。

讓您久等了，
世界上最好吃的三明治，
請享用。

客人一口接一口，
稱讚說，真是世界一級棒。
哇，太好了！

清潔工作也難不倒我們， 難不倒我們。

作者　竹下文子

一九五七年出生於日本福岡縣，畢業於東京學藝大學。主要作品有《獅子生日》、《歡迎來到月夜》、《抱抱我》、《餅乾王》等。和畫家鈴木守合作的作品有《大家一起鋪鐵軌》、《大家一起搭積木》、《大家一起來畫畫》、《大家一起做料理》、《企鵝冰箱》、【管家貓】系列、《公車來了》、【黑貓五郎】系列、《小薰和他的朋友》等。

繪者　鈴木守

一九五二年出生於東京。畫家、繪本作家、鳥巢研究家。主要繪本作品有《大家一起鋪鐵軌》、《大家一起搭積木》、《大家一起來畫畫》、《大家一起做料理》、《小小火車向前跑》、《小小火車變變變》、【ㄅㄨㄅㄨ，車子來了】系列、《鳥巢大追蹤》、《我的山居鳥日記》、《鳥巢之歌》等。熱衷於日本各地舉辦鳥巢展覽。